Selma Noort

Rennen, jongens!

Tekeningen van
Harmen van Straaten

Zwijsen

STICHTING NEDERLANDSE
KINDERJURY
2006

qvi 3

Toegekend door KPC Groep te 's-Hertogenbosch

1e druk 2005

ISBN 90.276.7850.2

NUR 286

© 2005 Tekst: Selma Noort
Illustraties: Harmen van Straaten
Vormgeving: Rob Galema
Uitgeverij Zwijsen B.V. Tilburg

Voor België:
Zwijsen-Infoboek, Meerhout
D/2005/1919/122

Inhoud

1. Waar is mijn jack?   7
2. Nou, man!   10
3. Een vuile dief!   12
4. Het plan van Aziz   15
5. Zo lukt het wel   19
6. Blijf in de buurt!   23
7. Dat bedoel ik nou   26
8. 'Poes, poes, poes!'   29
9. Houd die gast tegen!   32
10. Zag je die vent?   34
11. Moet je zien!   37
12. Die zien we nooit meer!   40

1. Waar is mijn jack?

'Wat nou, man!' roept Mert.
'Waar is mijn jack?
Mijn jack hangt er niet meer!'
Aziz kijkt op.
'Wat voor jack had je aan?'
Mert huilt haast.
'Je weet wel, met die rits.
Zwart, en dik.
Dat jack is cool, man!
Het hing hier bij mijn tas.
Ik weet het zeker.'

Bas en Tom komen erbij staan.
'Ligt je jack niet in de gang?'
Ze doen de deur open.
Maar de gang is leeg.
Mert zucht.
'O, nou man!'
Hij veegt langs zijn ogen.
'Wat zal mijn moeder zeggen!'
'Het is vast gejat!' zegt Tom.

Mert pakt zijn schoenen.
Hup, in een oude krant.
En dan in zijn tas.
Hij zorgt er goed voor.
Zo gaat dat bij hem thuis.
Zijn vader is zuinig.

En zijn moeder ook.
En nu is zijn jack weg.
Mert schudt zijn hoofd.
Bas en Tom zijn op zoek.
Hij hoort hen in de gang.
Aziz staat klaar om te gaan.
'Krijg je thuis op je kop?'
Mert haalt zijn schouders op.
Bas komt het kleedhok weer binnen.
'Geen jack te zien,' roept hij.

2. Nou, man!

Mert sloft naar zijn fiets.
Hij maakt zijn tas vast.
Hij houdt van voetbal.
Het ging juist zo goed.
Hij denkt aan Jan, de trainer.
Die stak zijn duim op:
'Het ging goed, man!'
En Mert was trots.
Maar nu voelt alles rot.
Zijn warme jack – weg!

Tom fietst naast hem.
Aziz en Bas rijden achter hem.
Mert loert rond.
Misschien ziet hij zijn jack.
Die vent daar …
Dat jack is ook zwart.
O nee, dat is het niet.
Heeft die gozer het aan?
Nee, ook niet.
'Nou, man,' zegt Mert weer.
Hij wil niet huilen.
Hij is toch al bijna twaalf.
Maar het valt niet mee.
Wat moet hij thuis zeggen?
Dat jack was nog haast nieuw.
En het was ook duur.
Zo'n jack krijgt hij vast niet meer.

Mert rilt.
Hij heeft het koud.
Bas en Aziz gaan rechtsaf.
'Tot morgen!' roept Bas.
Aziz zwaait.
Daar is Merts huis.
'Dag!' Tom rijdt door.
Mert zet zijn fiets neer.
Hij zet hem goed op slot.
Je weet maar nooit …
Dan belt hij aan.
Zijn grote zus doet open.
Ze ziet het meteen.
'O Mert, waar is je jack?'

3. Een vuile dief!

Merts moeder zucht.
'Je moet het tegen de trainer zeggen, Mert.'
'Ja, ik zeg het tegen Jan.'
Merts moeder huilt bijna.
'O, en dat jack was duur!'
Mert wordt er niet goed van.
'Ik zal het zoeken, goed?'
'Ja, dat is goed.'
'En pa?'
'Ik zeg het wel tegen pa.'
'Hij zal kwaad zijn.'
'Het is niet jouw schuld.'

Merts zus springt op.
'Die vuile dief ook!
Ik kijk goed op straat.
En als ik hem zie …
Dan grijp ik je jack!
Die dief geef ik een duw.
Of ik krab hem.'
Mert plaagt zijn zus.
'Sla hem met je tasje.'
Ze komt naar hem toe.
En ze aait hem door zijn haar.
'Bas, Tom en Aziz' zegt ze.
'En jij.
Ga morgen samen zoeken.
Zoek ook op school.

Ga terug naar het veld.
Kijk in het kleedhok.
Vraag alle jongens naar je jack.
En vraag het aan Jan, de trainer.
En aan je klas.
Wie weet vind je de dief.'
'Ja, dat is goed.'
Merts moeder knikt.
En Mert knikt ook.

4. Het plan van Aziz

Het is een dag later.
De jongens staan al vroeg op het schoolplein.
Mert loopt naar hen toe.
Hij heeft een oud jack aan.
Het was van zijn broer.
Die is al getrouwd.
Nu woont hij ver weg.
Het jack is groen met blauw.
De kleur is verbleekt.
En het jack is ook niet al te warm.
Het ziet er niet uit, vindt Mert.
Maar het is toch beter dan niks.
Aziz wenkt hem.
'Hé Mert, moet je horen, man.
Ik heb een plan.
Die dief komt vast hier uit de buurt.
Een jonge of kleine man, denk ik.
Hij liep zo ons kleedhok in.
Dus hij viel niet op.
Nou, wat denk jij?
Trekt hij jouw jack zelf aan?
Of verkoopt hij het?'
Mert denkt na.
'Hij verkoopt het,' zegt hij.
'Want het jack is te klein voor hem.
En hij durft het ook niet aan.
Hij weet dat wij dat jack zoeken.'
'Ja, en als we hem vinden ...'

Tom balt zijn vuist.
'Dan voelt hij deze!'

Aziz wenkt hen.
Hij praat zacht.
'In De Brug, weet je wel?'
De jongens knikken.
'Die kroeg bij de brug?' vraagt Mert.
'Ja, die,' zegt Aziz.
'Daar kun je spullen kopen.
Snap je?
Een dief steelt iets.
En daar verkoopt hij dat.'
'Hoe weet jij dat?' roept Tom.
'Mijn neef heeft dat gehoord.'
'Ik wil daar wel kijken,' zegt Mert.
'Ik durf dat best.
Maar ik ben te jong.
Ik kan die kroeg niet in.
Ik val teveel op, man.'
'Ik weet wat!' roept Bas.
Zijn stem klinkt blij.
Stil kijken ze hem aan.
'We vragen het aan Jan.'
'Aan de trainer?'
'Hij is niet bang.
En hij is groot en sterk.
Hij helpt Mert vast wel.'
Mert is blij.
Hij zucht ervan.
Bas heeft dat goed bedacht.

Jan doet dat wel voor hem.

Triiiing, de bel.
De school begint.
Ze lopen naar de deur.
Bas loopt naast Mert.
'Jan helpt je vast,' zegt hij.
Mert knikt.
'Ik ga meteen na school,' zegt hij.
'Dan vraag ik het aan Jan.'
'Ik ga met je mee,' zegt Bas.
'Ik ook!' roept Tom.
En Aziz knikt.

5. Zo lukt het wel

Jan kijkt verbaasd.
'Er is nu toch geen training?'
'Nee, dat klopt,' zegt Mert.
'Maar we komen je iets vragen.'
Aziz neemt het woord.
'Ja, je moet ons helpen, Jan.'
Jan legt de bal stil.
Hij gaat op het hek zitten.
De zon schijnt op het veld.
Het waait hard.
De jongens staan dicht om Jan heen.
Aziz vertelt het plan.
'Dus ik moet naar De Brug?'
Jan snapt het plan.
De jongens kijken hem strak aan.
Hij denkt na.
En dan knikt hij.
Aziz geeft een brul.
'Cool man!'
Hij springt in de lucht.
Mert lacht breed.
Tom en Bas slaan Jan op zijn rug.
'Maar eh …' zegt Jan.
'Ik zou nog maar niet zo blij zijn.
We hebben je jack nog niet.
Gaat de dief daar wel echt heen?
We weten het nog lang niet zeker.'
Mert kijkt weer somber.

Jan lacht naar hem.
Voor de grap grijpt hij Mert in zijn nek.
Mert duikt in elkaar.
'Niet zo somber, man,' zegt Jan.
Hij schudt Mert heen en weer.
Mert schiet in de lach.
'Zo is het beter,' zegt Jan.
'We zullen wel zien, ja?
Misschien werkt het plan.'

Jan maakt zich klaar.
Hij kleedt zich om.
Tom geeft hem zijn trui aan.
Aziz pakt zijn tas in.
Mert haalt de bal.
Daar staat Jan dan.
Aziz kijkt eens goed.
'Dit kan niet, hoor,' zegt hij.
'Die jas kan echt niet, man.'
'Nou moe, wat is hier mis mee?'
Jan kijkt naar zijn jack.
Het is een soort sportjack.
Het is fris blauw met wit.
Op de mouw loopt een streep.
'Eh, nou niks,' zegt Aziz.
'Als je van dit soort jacks houdt.'
Hij kijkt naar Mert.
'Je ziet er best cool uit,' zegt Mert.
'Maar niet goed voor De Brug.'
'Hoezo niet?' vraagt Jan.
'Je ziet er te aardig uit,' zegt Bas.

'Ja, veel te netjes.'
'Net een vader!'
'Of een meester van school!'
'Of een agent in burger!'
De jongens lachen.
Jan schudt zijn hoofd.
'Wat moet ik dan aan?'

'Ik weet wat,' zegt Mert.
Hij trekt het jack van zijn broer uit.
Het was hem veel te groot.
Maar Jan past het precies.
'Je gaat naar De Brug,' zegt Mert.
'En je wilt een nieuw jack.
Nou ja, dat moeten ze denken.
Dit jack was van mijn broer.
Het is echt oud.
Het ziet er niet uit.
Logisch dat je een nieuw wilt.
Nu trappen ze er wel in.'

6. Blijf in de buurt!

'Goed,' zegt Jan.
'Dit is het plan.
Ik ga De Brug binnen.
Ik bestel iets.
Ik hang wat rond.
En dan klets ik met Sjaak.'
Aziz knikt.
'Ja, die Sjaak staat achter de bar.
Dat weet ik van mijn neef.
Hij is kaal.
En hij heeft een piercing.
Hier, in zijn wenkbrauw.
Je ziet wel wie hij is.'
'Oké, en dan kom ik met:
"Ik heb het koud.
Mijn jas is te dun."'
Aziz knikt.
Maar Bas schudt zijn hoofd.
'Nu zijn wij echt stom,' zegt hij.
Ze kijken hem aan.
'Jan is te groot,' zegt Bas.
'Ze komen heus niet met Merts jack.
Dat past hem toch niet!'
'Je hebt gelijk, man!' zegt Aziz.
'Daar heb ik niet aan gedacht!'

'Ik ga wel mee,' zegt Bas.
'Ik lijk het meest op Jan.

Mijn haar is ook blond.
Ik zou zijn broertje kunnen zijn.
Mijn jas ziet er niet uit.
Dan zeg ik: "Ik heb het koud, man."'
Jan knikt naar Bas.
'Goed bedacht, Bas,' zegt hij.
'Durf je daar wel heen?' vraagt Mert.
Bas knikt.
'Ik ben toch met Jan,' zegt hij.

'Nou, let op,' zegt Jan.
'Als die dief er is …
En als ons plan werkt …
Als hij hem soms smeert …
Blijf buiten in de buurt!
Hang een beetje rond.
Kijk maar naar leuke meisjes.'
'Haaaa!' joelt Tom.
'Meisjes!'
Aziz en Mert grijnzen.
Jan praat verder.
'Maar kom niet bij het raam.
Misschien kent de dief je, Mert.
Dan ruikt hij onraad.
En dan zijn Bas en ik erbij!
Dat moeten we niet hebben.'
De jongens knikken.
'Als hij naar buiten komt …'
Tom schopt naar Aziz.
Aziz duikt opzij.
Hij draait rond.

Dan haalt hij uit met zijn arm.
'Tsjak!' roept hij.
Jan snapt het al.
Hij grijnst.
'Juist, dan grijp je hem!'

7. Dat bedoel ik nou

Ze staan op de brug bij café De Brug.
Mert heeft het jack van Jan aan.
De mouwen zijn veel te lang.
Maar het is wel een warm jack.
Warmer dan het oude van zijn broer.
'Maar eh …' zegt Jan ineens.
'Jouw jack …
Hoe herken ik dat?
Het is zwart en dik, zeg je.
En er zit een rits in.
Maar zo zijn er veel jacks.
Ik moet er wel zeker van zijn.'
Mert denkt na.
Ze kijken hem aan.
'Stond er niks op?' vraagt Bas.
Mert schudt zijn hoofd.
Aziz fronst zijn voorhoofd.
'Zat er een zak op of zo?'
Mert schudt weer zijn hoofd.
'Kom op, Mert' zegt Jan.
'Denk eens heel goed na.
Een gaatje in je mouw, of zo.
Of een haal in de stof.
Of een vlek op je kraag?'

Mert kijkt op.
Een vlek op zijn kraag!
Kom nou, zeg!

Maar nu weet hij tóch iets.
'Wacht, de lus was stuk.
Mijn zus heeft hem gemaakt.
Maar ze had geen zwart garen.
Dus ze deed het met bruin.
Dat zie je meteen.
De lus in de kraag, weet je wel.'
Jan knikt.
'Dat bedoel ik nou,' zegt hij.
'Dat heeft alleen jouw jack.
Nu kunnen we gaan.'

Mert, Tom en Aziz blijven staan.
Jan en Bas lopen weg.
Jan loopt voorop.
Bas loopt vlak achter hem.
Ze gaan bij De Brug naar binnen.
De deur valt dicht.

8. 'Poes, poes, poes!'

Het duurt lang.
Of lijkt het maar zo?
Er komt geen leuk meisje voorbij.
En het is koud op de brug.
'Als die dief nu een mes heeft?'
Aziz kijkt bezorgd.
'Laten we gaan kijken,' stelt Tom voor.
'Achter is er vast een deur,' zegt Mert.
Ze hollen al van de brug af.
'Hier, deze steeg in.'
Mert gaat voorop.
Het is donker in de steeg.
Het stinkt er naar vocht en pies.
Er ligt glas en vuil.
Een deur staat op een kier.
Mert tuurt door de kier.
Hij ziet een tuintje.
'Hier is het niet,' zegt hij zacht.
Tom loopt vlak achter hem.
'Die deur, denk ik.'
Hij wijst.
Mert duwt tegen de deur.
Ze zien een plaatsje.
Er staan twee fietsen.
Een toren van kratten.
Een bak met vuil en een doos.
En er is een raam.
Aziz fluistert in Merts oor.

'Durf jij naar het raam?'
'Zeg dat je de poes zoekt,' zegt Tom.
'Als ze je zien.'
Dat is slim van hem.
'Oké,' zegt Mert.
Tom en Aziz duiken weg.
Mert gaat de deur door.

Het ruikt naar oud bier.
Er klinkt harde muziek.
Merts hart bonkt.
Hij sluipt naar het raam.
Slim doet hij net alsof:
'Poes, poes, poes,' lokt hij.
Hij denkt van alles.
Heel snel.
Als Jan zijn jas nu te zien krijgt?
Wat doet hij dan?
Pakt hij hem af?
Slaat hij die dief?
Neemt hij hem gewoon mee?
Belt hij de politie?
Dat was geen deel van het plan.
Daar dacht Aziz nog niet aan.
En Jan?
Dacht die er wel aan?

9. Houd die gast tegen!

Een hard geluid.
Binnen valt iets.
Er klinkt een gil.
Was dat de stem van Bas?
Mert deinst terug van het raam.
Hij holt de steeg weer in.
Aziz en Tom staan er nog.
'Zag je iets?' vraagt Aziz.
'Nee, maar hoorde je die gil?'
Aziz schudt zijn hoofd.
'Was het de stem van Bas?' vraagt Tom.
'Ik weet het niet,' zegt Mert.
'Kom, we gaan hier weg.'

Mert slaat het eerst de hoek om.
Iemand botst hard tegen hem op.
Een man die iets vasthoudt.
Een man met Merts jack!
Mert valt haast om.
De man schiet langs hen heen.
Pijlsnel gaat hij de brug over.
Verder de stad in.
Daar zijn Jan en Bas.
'Let nou op!' schreeuwt Jan.
'Houd die gast tegen, jongens!
Hij heeft Merts jack!'
Aziz rent al zo hard hij kan.
Mert en Tom rennen nu ook.

Die man met het jack is snel.
Hij zigzagt door de straat.
Langs een paar winkels.
Dwars door een groep meiden.
Vlak voor de bus langs.
Die toetert hard.
Een auto remt.
Waar is hij nu heen?
Mert, Tom en Aziz staan stil.
Ze zien de man niet meer.

'Daar!' schreeuwt Jan.
Hij duikt ineens op met Bas.
'Rennen, jongens!
Dáár gaat hij, in het park!'
Ze rennen het park in.
Mert en Aziz voorop.
Jan neemt een ander pad.
Tom en Bas gaan achter hem aan.
De man met het jack kijkt op.
Ze zien de schrik op zijn gezicht.
Ik ben ontsnapt, dacht hij.
Mooi niet dus!

10. Zag je die vent?

Mert rent echt heel hard.
Zo hard ging hij nog nooit.
Hij denkt aan zijn moeder.
En aan zijn zus.
Als hij zijn jack terug heeft ...
Wat zullen ze dan trots zijn.
Hij vliegt bijna.
Daardoor ziet hij die steen niet.
Hij smakt voorover.
Zijn hand klapt dubbel.
Zijn hoofd bonkt tegen de grond.
'Auw!'
Hij schreeuwt het uit.
Maar zijn jack ...
Hij staat op.
Hij hinkt verder.
Daar gaat Aziz, ver weg.
En Tom en Bas en Jan.
Mert kan niet meer rennen.
Hij leunt tegen een boom.
Dan barst hij in tranen uit.

Er staat een meisje op het gras.
Ze kijkt naar Mert.
'Mert?'
Mert veegt over zijn wang.
Wat wil die griet?
Hij gluurt even naar haar.

O, wacht, dat is Merjem.
Ze zit bij hem op school.
Hij gaat rechtop staan.
Ze komt naar hem toe.
'Gaat het?
Je viel hard, hè?
Is alles nog heel?'
'Ik geloof het wel.'
Mert lacht met een klein lachje.
'Ze zijn het park uit,' zegt Merjem.
De jongens, snapt Mert.
'Zag je die vent?' vraagt hij.
Merjem knikt.
'Die had mijn jack.'

Mert vertelt van zijn jack.
Van het plan van Aziz.
En van Jan en Bas in De Brug.
Merjem luistert.
Ze zit naast hem in het gras.
'Weet je,' zegt ze.
'Er was iets raars met die dief.
Ja, ik zag het toch echt.
Eerst hield hij jouw jack vast.
Maar later niet meer.
Hij rende het park uit.
Toen zwaaide hij met zijn arm.
Hij had het jack niet meer.
Ik weet het zeker.'

Mert kijkt Merjem aan.

'Hoe bedoel je?
Hij had het niet meer?'
Merjem springt op.
'Hij heeft het laten vallen.
Of hij gooide het weg.
Het ligt vast hier in het park.
Gaat het weer?
Kom, we gaan zoeken.'

11. Moet je zien!

Merjem rent voor Mert uit.
Ze holt langs een boom.
Daar is een kleine heuvel.
Op die heuvel staat een beeld.
Mert kijkt om zich heen.
Ligt zijn jack soms in de bosjes?
Of bij die boom daar?
In die afvalbak aan die paal?
Die dief had vast een plan.
Ik smijt dat jack hier neer.
Eerst die jongens kwijt zien te raken.
En dan kom ik later terug.
Wat goed dat Merjem hier was.
En dat ze hem zag!

'Mert! Mert!'
Mert kijkt om zich heen.
Waar is Merjem nu?
Het pad loopt iets omhoog.
'Merjem?'
'Hier, bij het beeld!'
Mert klimt de heuvel op.
Daar staat ze.
Ze lacht en wijst.
'Kijk eens!'
Mert kijkt op.
Daar staat het beeld.
Met de arm omhoog.

Het beeld groet de stad.
En aan die arm …
… hangt een zwart jack.

Merjem springt en trekt.
Het jack valt.
Mert vangt het op.
Ja, het is zijn jack.
Hij ziet het bruine garen bij de lus.
Hij wordt rood van geluk.
Hij duwt zijn wang tegen de stof.
Wat fijn.
Wat zal zijn moeder blij zijn.
Merjem lacht nog steeds.
'Het zag er raar uit,' zegt ze.
'Dat jack aan die arm.'
Nu lacht Mert ook.
Hard en blij.

12. Die zien we nooit meer!

'Hij was te snel,' zegt Aziz.
'Hij vloog haast,' hijgt Jan.
'Die zijn we kwijt,' zucht Bas.
Ze gaan het park weer in.
Aziz schopt in het gras.
'En Merts jack dus ook.'
Bas kijkt op.
'Hé, moet je daar zien!
Dáár, bij dat beeld.'
Jan schiet in de lach.
'Wij lopen ons gek.
En daar zit Mert op zijn gat.
En wie is dat naast hem?'
Aziz draait zich om naar Jan.
'Dat is Merjem,' zegt hij.
'Die zit bij ons op school.'

'Hé Mert!' schreeuwt Tom.
Mert springt op.
'Hé jongens, kijk eens!'
Hij zwaait met iets zwarts.
Zien ze dat nou goed?
'Is dat je jack?'
Ze hollen nog een stuk.
'Hoe kom je daar nou aan?'

Mert legt alles uit.
Hij geeft Jan zijn jack terug.

Fijn, zijn eigen jas aan.
Nu voelt hij zich weer cool.
Merjem raakt zijn wang aan.
'Er zit hier bloed.
Doet het nog pijn?'
Mert krijgt een kleur.
Bas lacht en Tom ook.
Jan en Aziz grijnzen.
'Nee hoor,' zegt Mert gauw.

Merts zus doet de deur open.
'O, je hebt je jack weer!
Ha Jan en dag jongens!
O, wat zal mam blij zijn.
Kom binnen, kom binnen!'
'Dit is Merjem,' zegt Mert.
'Zij hoort er ook bij.'

Aziz praat het hardst.
'Die dief?' roept hij.
'Die schrok zich wild.
Die zien we nooit meer, man.'
De kamer zit vol vrienden.
Merts jack hangt weer in de gang.
Op zijn eigen plek aan de kapstok.
En zo hoort het ook.